把热留住

[美]乔安娜·柯尔 文　　[美]布鲁斯·迪根 图　　漆仰平 译

贵州出版集团公司 ■ 贵州人民出版社

图书在版编目（CIP）数据

神奇校车·第2辑/（美）柯尔著；（美）迪根绘；漆仰平译.
——贵阳:贵州人民出版社，2010.12
ISBN 978-7-221-09185-7

I. ①神… Ⅱ. ①柯… ②迪… ③漆… Ⅲ. ①科学知识—儿童读物 Ⅳ. ① Z228.1
中国版本图书馆 CIP 数据核字（2010）第 222384 号

神奇校车·动画版

把热留住

文 / 乔安娜·柯尔[美]

图 / 布鲁斯·迪根[美]

翻译 / 漆仰平　责任校译 / 汪晓英

策划 / 远流经典

执行策划 / 颜小鹏

责任编辑 / 苏桦　张丽娜　方雅维

美术编辑 / 曾念　王晓　李奇峰

责任印制 / 张建丽　朱承丽

出版发行 / 贵州出版集团公司　贵州人民出版社

地址 / 贵阳市中华北路289号　电话 / 010-85805785（编辑部）

印刷 / 北京市雅迪彩色印刷有限公司　电话 / 010-85381643-800

版次 / 2011年 4 月第一版　印次 / 2012年 9 月第三次印刷

成品尺寸 / 200mm×200mm　印张 / 16　定价 / 80.00元

蒲公英童书馆 / www.poogoyo.com

卷毛老师是我们学校最古怪的老师，她的班里总出怪事。不过今天实在是冷得出奇，卷毛老师应该没心思去做太另类的事儿了吧？至少我们是这样想的。

我们来到学校的自助餐厅里，准备填饱肚子，暖和暖和。阿诺要了一杯热气腾腾的可可加棉花糖。事情就是从这一刻开始的……

阿诺刚喝了一口，就发现可可已经凉得没法喝了。原来餐厅里有一扇窗户开着，可可的热气已经从打开的窗户跑出去了。阿诺气哄哄地问："热气都跑哪儿去了？"

听到这话，卷毛老师的眼睛一亮。

我还以为你都不会提问呢。

下一秒，我们已经坐在神奇校车里了。这回，校车的轮胎变成了雪橇和履带。我们正在穿越地球上最寒冷的地带——北极地区。

但是，大家连外套都没来得及穿呢！

卷毛老师按了一个按钮，外套就从车顶上掉了下来。可这些衣服太薄，一点儿也不暖和。卷毛老师又去找厚外套的按钮，却一不小心把校车开进了冰冷的海水中！

当我们到达对岸时，车上挂满了冰，引擎也被冻住了。

校车熄火了，我们被困在北极地区了！

要想回家，我们必须得想办法让车子热起来。大家都冷得要命，我们班的宠物蜥蜴——可怜的里兹已经快冻僵了。

"里兹是冷血动物，它身体的大部分热量是从外界环境中获得的。"菲比一边解释，一边把里兹放进自己的外套里，"别担心，我是温血动物，我能把热量传给你。"

这时，旺达从一个座位底下发现了一只旧木箱。我们在里面找到许多护目镜。卷毛老师说那是"热视镜"。

神了！戴上它之后，就能清楚地看见热气正从我们身上散出去。

"这些肯定就是我们失去的热量。"菲比分析着。

热气正透过车顶溜向外边。

热气跑得很快，我们必须找到为我们提供热量的热源。幸亏阿诺在那只旧木箱里找到一些木头，我们便生起火堆，围坐在一起取暖，卷毛老师还兴高采烈地煮起柠檬茶来。

火是非常好的热源。

这趟旅行终于开始升温啦！

可惜那些木头维持不了多久，正好我们又发现了一只木箱，就把它拆了。这时，有几个暖水袋从箱子里滚了出来。

卷毛老师把煮好的柠檬茶倒进了这几个暖水袋。透过"热视镜"，我们看到热气钻进了暖水袋里。

卡洛斯把一个装了热茶的暖水袋塞进外套里，"哇，真暖和！"他开心地叫起来。

阿诺看着地上的其他暖水袋，提建议说："要不要试试把这些暖水袋放在引擎上？袋子里的热量能让引擎热起来，也许校车就可以发动了，我们不就能回家啦？"

是个好主意，可惜太晚了！

我们脚下的冰面突然裂开了，有一大块浮冰漂走了。上面正好是我们的校车，还有拉尔夫、菲比、里兹！

在我以前的学校，我们从没在浮冰上逗留过。

这可怎么办啊？我们得去救拉尔夫和菲比！可大家已经快被冻成冰棍了，根本没法行动。

　　卡洛斯取出他的暖水袋给大家看："看！暖水袋里的热差不多都跑光了！"

　　"我们得找些别的东西来保暖。"阿诺思考着。他看见了多罗茜的书，忽然灵机一动，"我们可以用这个！"

　　阿诺把书一页一页地撕下来，然后塞进衣服里。"我也不想损坏书籍，可这是紧急情况啊！"他解释道，"用纸把我们的身体和冷空气隔开，可以阻止热跑掉。"

这些纸确实略微减慢了热量的散失，因为纸张有隔热的作用，能把热留住。但我们要想弄回校车，这显然不够，还得再找一个更好的热源。

"啊，那边有件毛大衣，"卷毛老师忽然说，"应该是个不错的热源哦！跟我来！"

卷毛老师说得没错，这个热源很温暖，而且毛茸茸的，闻起来有些像……鱼。啊！我们突然明白了，这可不是一般的热源，这是一只北极熊！

卡洛斯大喊："快跑呀！"

蒂姆惊呼："快躲起来！"

凯莎惊恐万分，连声直呼："糟了！糟了！糟了！"

卷毛老师连忙抽出袖珍缩小器，一阵猛按，我们嗖的一下缩小了，简直比一粒沙子还小，还飞进了北极熊厚厚的毛里！

　　坏消息是，我们变得好小；好消息是，这里还挺暖和的。我们能看见从北极熊身上散发出来的热气，被这层厚厚的、打结的毛给挡住了。这个道理和在衣服里面垫纸是一样的。

　　好景不长，这只北极熊身上好像痒痒起来了，它使劲抓挠着。我们用力抓住北极熊的毛，可还是被甩了出来。快逃啊！

真是一趟"熊"猛刺激的旅行！

　　拉尔夫和菲比在校车里冻得不行了。菲比正在四处找毯子。她在储物柜里摸索时，沾了满手厚厚的油脂！

　　"这是什么毯子呀？"菲比败兴地说。

　　拉尔夫透过"热视镜"看了看说："哦，这是'油脂毯子'。这东西肯定能把热留住！"

　　就在这时，校车忽然倾斜了。菲比和拉尔夫惊慌地向车外看去，原来是一头海象正在往浮冰上爬。

　　菲比问：“真奇怪，这些海象身体光溜溜的，为什么在这么冷的冰水里都没事呢？它们没有北极熊那样厚厚的毛啊！”

"我猜是它们身上的脂肪保存住了体内的热量，就像你手上的油脂一样！"拉尔夫说。

　　"如果油脂对海象有用，那对我们也有用啦！"菲比兴奋地说。

　　于是，她和拉尔夫用厚厚的油脂把自己从头到脚给裹了起来。

拉尔夫和菲比脚下的那块浮冰正在破裂，而我们却够不到他们。

"我们得赶紧去救他们呀！"凯莎担忧地说。

"可我们又不能直接跳进冰水里。"多罗茜说。

卷毛老师说："别担心，里兹也在那儿呢，会有办法的！"她用力吹了声口哨，大喊道，"里兹，把它打开！"

啊！我想弗瑞丝老师一定想出办法了。

里兹立即跑进校车，扳动了仪表盘上的一根操纵杆。车顶砰地打开了，有团东西飞过海面，打到了我们身上。

我们跳进海水里，向校车游去。虽然海水是冰冷的，但大家穿着全套油脂装，都觉得很暖和。

哈哈，我们又聚在一起了，大家好高兴。接下来，我们要做的就是让校车"热"起来！

于是，我们做起了健身操，身上散发的热气融化了油脂，暖和了校车。但很快，热又从车顶上跑掉了！

阿诺说："我们得用什么东西把热留住。"

真是走运，我们的车里有造冰屋的设备。于是，大家用冰雪围着校车搭了一座冰屋，来存住热。卷毛老师解释说，这是因为雪里有许多充满空气的小孔，热跑进这些小孔后，就被拦住了。

冰屋建成后，我们继续做健身操。真是累啊，不过很管用。大家身上散发出来的热都留在了冰屋里，校车上的冰渐渐融化了。没多久，引擎已经发出了轰鸣声。

太及时了！卷毛老师刚把校车变成直升机，浮冰就裂成小碎块了。

回到学校后，阿诺又要了一杯热可可。这一回，他不会再让热溜走了。他把热可可放进了一个双层棉袋里，是他自己做的哦。

就像卷毛老师说的那样：阿诺对隔热很在行！

亲爱的同学们：
　　你们怎么可以让弗瑞丝老师把里兹带到北极地区呢？大家都知道，在那么冷的环境里，冷血动物是无法生存的。
　　　　　　替里兹说话的小西

亲爱的小西：
　　谢谢你的关心。一般情况下，我们的确不能带蜥蜴到北极地区去，可里兹是神奇的动物呀！

　　　　后会有期！
　　　　你的朋友们

卡洛斯：
　　你搭建冰屋的技术很厉害啊！
　　　　　　爱斯基摩王

亲爱的孩子们：
　　你们什么时候再来找我玩啊？
下次记住穿暖和点啊！
　　　　想念你们的北极艺术家

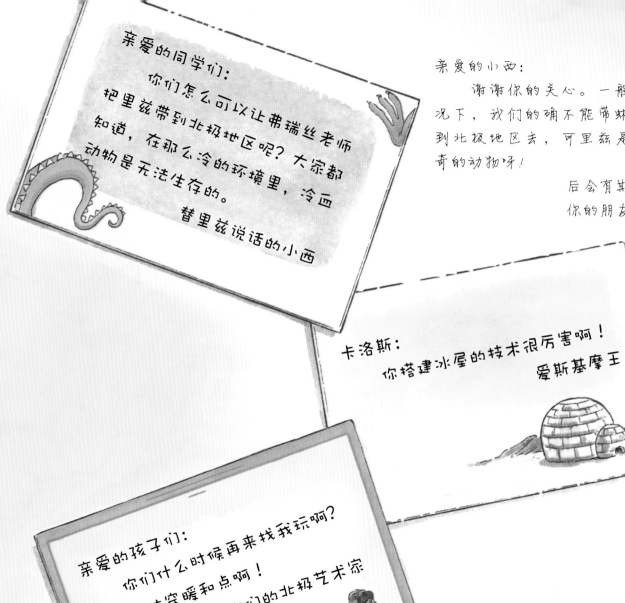

别怕错，
别怕脏，
在家动手试试看！

　　你都知道哪些隔热的办法呢？做做下面的实验，看看哪种材料最保温。

① 先挑几种不同的材料。给你一些提示：棉花，枕套，睡袋，锡箔纸，报纸……都可以。

② 你觉得哪种材料的保温效果最好？其次的呢？先把你的预测写下来！

③ 然后，请大人帮你烤几片面包。

④ 把烤好的面包迅速裹进你选的材料里。把它们放在同一个地方，等三分钟。

⑤ 现在，打开包装，摸摸面包片，看看哪片最热。
　　你猜对了吗？

⑥ 再做一遍实验，看看跟原来的结果是不是一样的。请记下每次的实验结果。